Dla Jane Chapman, artystki, której ilustracje
są dla autora niczym świąteczny prezent – dzięki!
– K. W.

Dla Mamy i Taty (którzy opiekowali się
Mattem, Sally i mną!)
– J. Ch.

Polish edition © Wydawnictwo Tekturka
© Copyright for the Polish translation by Barbara Supeł
Lublin 2021
wydawnictwo-tekturka.pl
Tytuł: Święta pana Misia
Tekst: Karma Wilson
Ilustracje: Jane Chapman
Z języka angielskiego przełożyła: Barbara Supeł
Redakcja i korekta: Joanna Fiuk, Ewa Popielarz
Redakcja techniczna: Grzegorz Bieniecki
Wszelkie prawa zastrzeżone.

Święta pana Misia

Karma Wilson

zilustrowała Jane Chapman

z języka angielskiego przełożyła Barbara Supeł

tekturka

Zbliżają się święta
w śniegowej piżamie.
Miś zwinięty w kłębek
chrapie w swojej jamie…

…lecz mu prosto w ucho
krzyczy Mysz przejęta:
– NIE ŚPIJ! Bo ci umkną
tegoroczne święta!

Już mu tłum przyjaciół pod nosem marudzi.

Wołają…

…i proszą…

…wreszcie Miś się budzi.

Wstaje, głośno ziewa:
– Nie zasnę! Spróbuję…
– Czy możesz obiecać?
– O tak. Obiecuję!

Mysz Misia po chwili
zapewnia z ochotą,
że mu czas do Gwiazdki
wypełni robotą.

Miś chce się położyć,
lecz jest jedno ALE…
Wszyscy czujnie patrzą…

– Przecież
nie śpię!
WCALE!

– Chodźmy! – woła Borsuk. –
Weźmy koc i linkę
i przynieśmy z gaju
świąteczną choinkę!

Już po chwili wszystkie
zwierzęta w komplecie
chcą pomóc Misiowi
dźwigać ją na grzbiecie.

Potem przez śnieżycę
wracają wytrwale,
stękając i sapiąc…

A Miś
nie śpi –
WCALE!

Suseł ich częstuje
herbatą z imbryka,
pan Kret popcorn miesza
końcówką patyka,

a Kruk ze Strzyżykiem
gotują pyszności…
Wszystko, by utrzymać
Misia w przytomności!

I choć Miś się chwieje,
zapewnia zuchwale,
że on wcale nie śpi…

No bo
nie śpi –
WCALE!

Wieszając skarpety
przy cieple płomieni,
śpiewają kolędy,
szczerze rozczuleni.

Czekają na ranek,
czujni, delikatni…

…wkrótce z wielu głosów
zostaje ostatni.
Choć jest sam, jedyny,
czuje się wspaniale!
To przecież głos Misia,
a Miś…

...nie śpi –
WCALE!

Kiedy wszyscy drzemią,
Miś już coś szykuje.
Mrucząc i chichocząc,
zawija, pakuje…

…i górę prezentów
pod drzewkiem układa.
Nagle słyszy dzwonki!
Ktoś się cicho skrada…
Ktoś pod Misia jamą
zaparkował sanki,
by przynieść zwierzakom
drobne niespodzianki!

Aż wreszcie o świcie Miś ziewa ospale,
ale czy zasypia…?

Ani trochę!
WCALE!

Wreszcie przyszły święta
w śniegowej piżamie.
Przyjaciele Misia
już budzą się w jamie.

Miś im pokazuje
łakocie, prezenty…
– Nie spałem! – zapewnia. –
Byłem zbyt zajęty!

Zwierzęta prezenty
testują wytrwale,
a Miś się przeciąga…

Ale nie śpi –
WCALE!

Kruk wciąż przeszukuje
wszystkie zakamarki
i jeszcze znajduje
w skarpetach podarki.

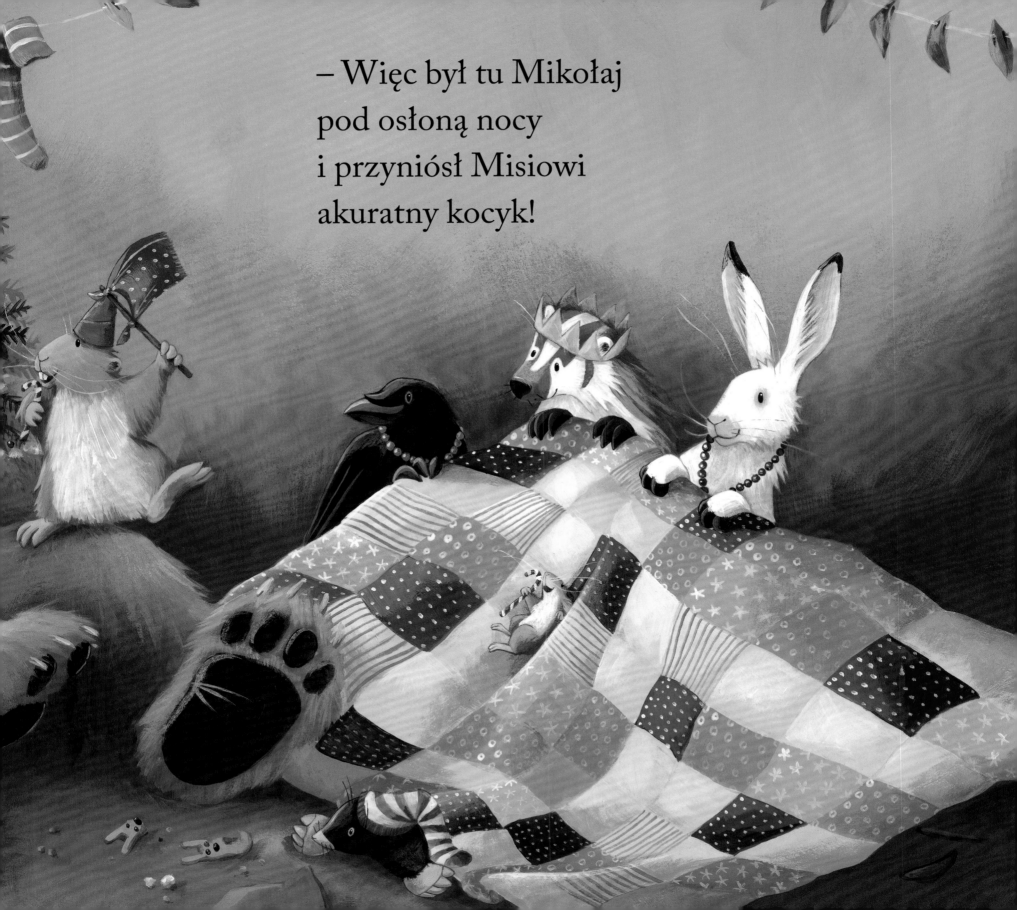

– Więc był tu Mikołaj
pod osłoną nocy
i przyniósł Misiowi
akuratny kocyk!

Wszyscy się żegnają,
drwa w popiele gasną…
A Miś…? Co z Misiem?

Miś nareszcie –
ZASNĄŁ!

Spod jamy dochodzą
cichutkie życzenia:
– Wesołych świąt, Misiu! –
I… do obudzenia!